DARGAUD

Scénario :
Greg EHRBAR

Adaptation française :
Géraldine REININGER

Illustration :
THREE THIRTY STUDIOS

Lettrage :
Martine SEGARD

ISBN 2-908803-56-9
ISSN 1152-0043

Dépôt légal novembre 2000
Imprimé en France
par PPO Graphic, 93500 Pantin

LE JOUR SE LÈVE SUR LA TERRE DES DINOSAURES...
TOUT SEMBLE CALME LORSQUE ...
ROARRRRR!
... SOUDAIN, LA TERREUR SURGIT...
... SOUS LA FORME D'UN REDOUTABLE CARNOTAURE !
ROARRRRR!
POUR PROTÉGER SA COUVÉE , UNE COURAGEUSE MÈRE IGUANODON ...
... SE JETTE DANS LES PATTES DU MONSTRE !
ELLE RÉUSSIT À LUI ÉCHAPPER, MAIS SES OEUFS SONT ÉCRASÉS !
SQUASH!

SAUF UN, QUI EST AUSSITÔT EMPORTÉ SANS MÉNAGEMENT PAR UN OVIRAPTOR AFFAMÉ !
HISSSSS!
CET ŒUF SEMBLE RÉSISTER À TOUS LES CHOCS !
HISSSSS!
SNARL!
FWIPP!
IL ÉCHAPPE AUX GRIFFES DU MONSTRE ET DÉVALE LA FALAISE...
SPLOOP!
... OÙ UN LABYRINTHODONTE LE REPÊCHE, PUIS LE REJETTE...
... NOTRE ŒUF POURSUIT SON VOYAGE AQUATIQUE... IL PASSE ENTRE DEUX TALARURUS BELLIQUEUX...
... PUIS DEVANT UN TROUPEAU DE PACHYRHINOSAURES DONT LE PAS LOURD FAIT TREMBLER LA RIVE...
SLURP!
GLUG!
... ET ABOUTIT ENTRE LES SERRES D'UN PTÉRANODON GÉANT !

LE MONSTRE VOLANT ARRIVE EN VUE DE L'ÎLE DES LÉMURIENS...
MIRACULEUSEMENT, L'ŒUF ÉCHAPPE ENCORE À L'ATTAQUE D'UNE VOLÉE D'ICHTHYORNIS...
... POUR ATTERRIR SUR UNE ÎLE PAISIBLE COUVERTE D'ARBRES.
SURVIENT PLIO, UNE JEUNE LÉMURIENNE, ACCOMPAGNÉE DE SON PÈRE YAR ET DE ZINI, UN JEUNE MÂLE DU CLAN.
REVIENS , PLIO ! C'EST DANGEREUX !
JE DOIS TOUJOURS M'ÉLOIGNER QUAND C'EST INTÉRESSANT
STOP, ZINI ! CE N'EST PAS PRUDENT !
EUH... QU'EST-CE QUE C'EST?
CRAAACK!
OH ! ... C'ÉTAIT UN ŒUF!
REGARDEZ!
AAAHHH !

C'EST UN DE CES TERRIBLES MONSTRES QUI VIVENT DE L'AUTRE CÔTÉ DE LA MER ! ILS SONT CARNIVORES...
PAS CE BÉBÉ !

IL GRANDIRA. CEUX DE SON ESPÈCE NOUS DÉVORENT AUSSI FACILEMENT QUE DES SANDWICHES !

POURQUOI DIS-TU CELA?
IL EST DANGEREUX, PLIO ! DÉBARRASSE-TOI DE LUI !
DOMMAGE ! DÉSOLÉE...

TIENS ! FAIS-LE, TOI !
HEIN?

BON, JE M'EN OCCUPE !
DÉPÊCHE-TOI, PAPA ! IL A FAIM !

MAIS YAR NON PLUS N'Y ARRIVE PAS !
... AGA !

TIENS !
TRÈS BIEN ! NOUS T'APPRENDRONS À NE PLUS MANGER DE CHAIR !

ATTENTION... SA TÊTE !
JE VEUX DIRE... ATTENTION ! IL POURRAIT TE MORDRE !

IL N'A PAS ENCORE DE DENTS ! COMMENT POURRAIT-IL NOUS DÉVORER... AVEC DES GENCIVES?
REGARDE COMME IL EST MIGNON, ZINI. IL N'A RIEN D'UN MONSTRE !
...ET LES LÉMURIENS DÉCIDENT D'ÉLEVER LE PETIT IGUANODON.

DES ANNÉES PLUS TARD, DE JEUNES LÉMURIENS JOUENT À CACHE-CACHE DANS LA FORÊT!
ROARRRR!

GROAAAR!

GRAAARRR!

LA FILLE DE PLIO, SURI, GRIMPE DANS UN GRAND ARBRE...
TROP TARD, PEUT-ÊTRE?
ARGH!

LAISSE-MOI SORTIR DE LÀ!
CHOMP!

PTUI!
C'ÉTAIT CHOUETTE !
ATTRAPEZ-LE !
OH ! NON, LES LÉMURIENS ATTAQUENT !
JE N'EN PEUX PLUS, SURI ! VOUS ÊTES TROP NOMBREUX CONTRE MOI !
ARRÊTEZ, JE VOUS EN PRIE ! JE ME RENDS !
OH ! NON...
ALADAR...?
TU N'ES PAS MORT...
NON !
HA! HA! YOUPI !
ÇA SUFFIT, LES ENFANTS! TU N'OUBLIES PAS LE COURS DE SÉDUCTION, ALADAR?
VOUS ALLEZ RATER LE TEMPS DES P'TITS CÂLINS !
OOOH ! MAMAN !
OKAY, PLIO, ON PEUT SE FAIRE DES P'TITS CÂLINS ICI !
MMMOUAH !
HI ! HI ! ÇA CHATOUILLE !
HA ! HA !

AH ! SI TU AIMAIS LES ENFANTS !
EHH ! PETITE COQUINE ! HI ! HI !
BON... REJOIGNONS ZINI. IL EST EN PLEINE RÉPÉTITION... IL DOIT Y AVOIR DU NEUF !
"LES FILLES, JE SUIS PROF' D'AMOUR ! ET L'ÉCOLE EST OUVERTE !"
JE SUIS TOUJOURS BON !
"SALUT, BEAUTÉ... SI TU VEUX BIEN ÊTRE MA MIE, JE SERAI TON AMI !"
COMME C'EST BIEN ! SUPER MÊME !
CE N'EST PAS CONTAGIEUX,? VIENS, ROMÉO, TU VAS RATER LE TRADITIONNEL DISCOURS D'ENCOURAGEMENT DE YAR !
PFF... PARLONS-EN ... DES CONSEILS D'AMOUR D'UN VIEUX SINGE !
HI ! HI ! TU SAIS QUE CE VIEUX SINGE AVAIT DU SUCCÈS QUAND IL ÉTAIT JEUNE. A ENTENDRE YAR, IL ÉTAIT LE "DON JUAN" DES PRIMATES !
LES GARÇONS SE RASSEMBLENT POUR ÉCOUTER LES SAGES CONSEILS DE YAR...
PARFAIT, LES GARS !
ECOUTEZ BIEN LE GRAND MAÎTRE !
ET VOUS, LES FILLES... NE SAUTEZ PAS DANS LES ARBRES AVEC LE PREMIER VENU EN FAISANT DES ACROBATIES. LAISSEZ-VOUS COURTISER...
ET SI LES PIROUETTES NE MARCHENT PAS... ESSAYEZ AUTRE CHOSE !
CE SERA LE PLUS BEAU JOUR DE VOTRE VIE . RENDEZ-LE INOUBLIABLE !
MAIS... SI ÇA NE MARCHE PAS, RASSUREZ-VOUS... PERSONNE NE S'EN SOUVIENDRA !

ALLONS, LES GARS, ON NE VA PAS LES LAISSER TOMBER !
EN ROUTE ! BOMBEZ LE TORSE ! RELEVEZ LE MENTON ! DE LA TENUE, COMPRIS ?
AVEC MON CHARME ET VOS CERVELLES, PAS DE PROBLÈME !
LES FILLES, REGARDEZ ! UNE BELLE BROCHETTE DE BEAUX MÂLES !
HI ! HI ! HI !
JUCHÉ SUR ALADAR, ZINI VEUT ÉPATER LES FILLES...
HELLO, LES MIGNONNES, ADMIREZ, MA MUSCULATURE !
LE COURS DE SÉDUCTION COMMENCE...
K-K-KA-KOOO!
K-K-KA-KOOO
K-K-KA-KOOO!
K-K-KA-KOOO!
K-K-KA-KOOO!
TANDIS QUE LES JEUNES GENS EXÉCUTENT UN BALLET DANS LES ARBRES...
... ZINI FAIT UNE CHUTE... DANS LES BUISSONS !
A L'AIDE !
ALADAR SAISIT LA BRANCHE QUI RETIENT ZINI ET LE RELANCE DANS L'ARBRE...
TU VAS RATER LE MEILLEUR, VIEUX !
EH ! JE SUIS LE CLOU DU SPECTACLE !

ZINI SE BALANCE TANT ET TANT QU'IL S'EMMÊLE DANS LES LIANES...
YI-HIII !
LES FILLES BONDISSENT DANS LES ARBRES AVEC LES GARÇONS...
K-K-KA-KOOO!
K-K-KA-KOOO!
K-K-KA-KOOO!
K-K-KA-KOOO!
... SAUF ZINI QUI EST ENCORE COINCÉ !
ELLES OFFRENT DES FLEURS AUX GARÇONS...
LE PAUVRE ZINI REGARDE AVEC ENVIE SES AMIS S'ÉLOIGNER DEUX PAR DEUX...
NE T'EN FAIS PAS, ZINI. TU REFERAS UN ESSAI L'AN PROCHAIN !
BAH, ENFIN DÉBARRASSÉ D'EUX !
AH ! LES FILLES, C'EST EXIGEANT ! ÇA VEUT TOUJOURS ALLER DANS UN ARBRE PLUS HAUT !
HEM... PAUVRE ZINI ! JE CROIS QU'IL RESTE ENCORE CÉLIBATAIRE !
PLIO ET ALADAR REGARDENT ZINI S'ÉLOIGNER VERS LA FORÊT...
IL A LA PEAU PLUS DURE QUE MOI !
TU SAIS, ALADAR... IL Y A SÛREMENT UNE FILLE QUELQUE PART QUI RÊVE D'UN GENTIL GARÇON COMME TOI !

LA DOUCEUR DU MOMENT EST BRUSQUEMENT INTERROMPUE PAR UN ÉTRANGE PHÉNOMÈNE...
OHHHH !
UN VENT SINISTRE SOUFFLE. LES LÉMURIENS TREMBLENT DE PEUR...
TOUT À COUP, LE CIEL SE ZÈBRE DE FLAMMES AVEUGLANTES...
FLIT FLIT FLIT FLIT
UN IMPOSANT VOL D'OISEAUX S'ÉPARPILLE, EN PROIE À LA TERREUR...
PAPA?...
HUMM ! CE N'EST PAS NORMAL !
OÙ EST SURI, ALADAR?
ELLE EST DANS... CET ARBRE...
PUIS L'ÉNORME BOULE LUMINEUSE DISPARAÎT DERRIÈRE L'HORIZON...

LA VIOLENTE LUMIÈRE A FAIT PLACE À L'OBSCURITÉ ET UNE FORMIDABLE TORNADE SE LÈVE SUR L'ÎLE DES LÉMURIENS...
WHOOOOOOOSSSH!
LES LÉMURIENS SONT BRUTALEMENT PROJETÉS AU SOL...
WHOOOOOOOSSSH!
SURI ! OÙ ES-TU?
MAMAN!
RRRRUMBLE RRRRUMBLE RRRRUMBLE
ALADAR RATTRAPE SURI TOMBANT D'UN ARBRE...
CRRRAASH!
...LA FORÊT S'ENFLAMME... DES CRATÈRES S'OUVRENT!
CRRRAASH!
BOOOM!
RRRRUMBLE
SAUTE, ZINI! VITE!
CRRRAASH!
ZINI S'ÉLANCE EN ÉVITANT D'ÊTRE ÉCRASÉ PAR LES BRANCHES QUI S'EFFONDRENT!

UNE GIGANTESQUE VAGUE DE FEU AVANCE VERS L'ÎLE DES LÉMURIENS...
FFOOOOOOM!

RRRRUMBLE
RRRRUMBLE
BLAM!
ALADAR S'ENFUIT AU GALOP, LES LÉMURIENS ACCROCHÉS SUR SON DOS...

IL ATTEINT LES FALAISES ABRUPTES QUI BORDENT LEUR PETITE ÎLE...
LA MER RESTE LEUR SEULE POSSIBILITÉ D'ÉCHAPPER À UNE MORT HORRIBLE...

BOOOOM!

KER-SPLASH!

PLIO ! YAR ! OÙ ÊTES-VOUS ?
ICI ! EN HAUT !

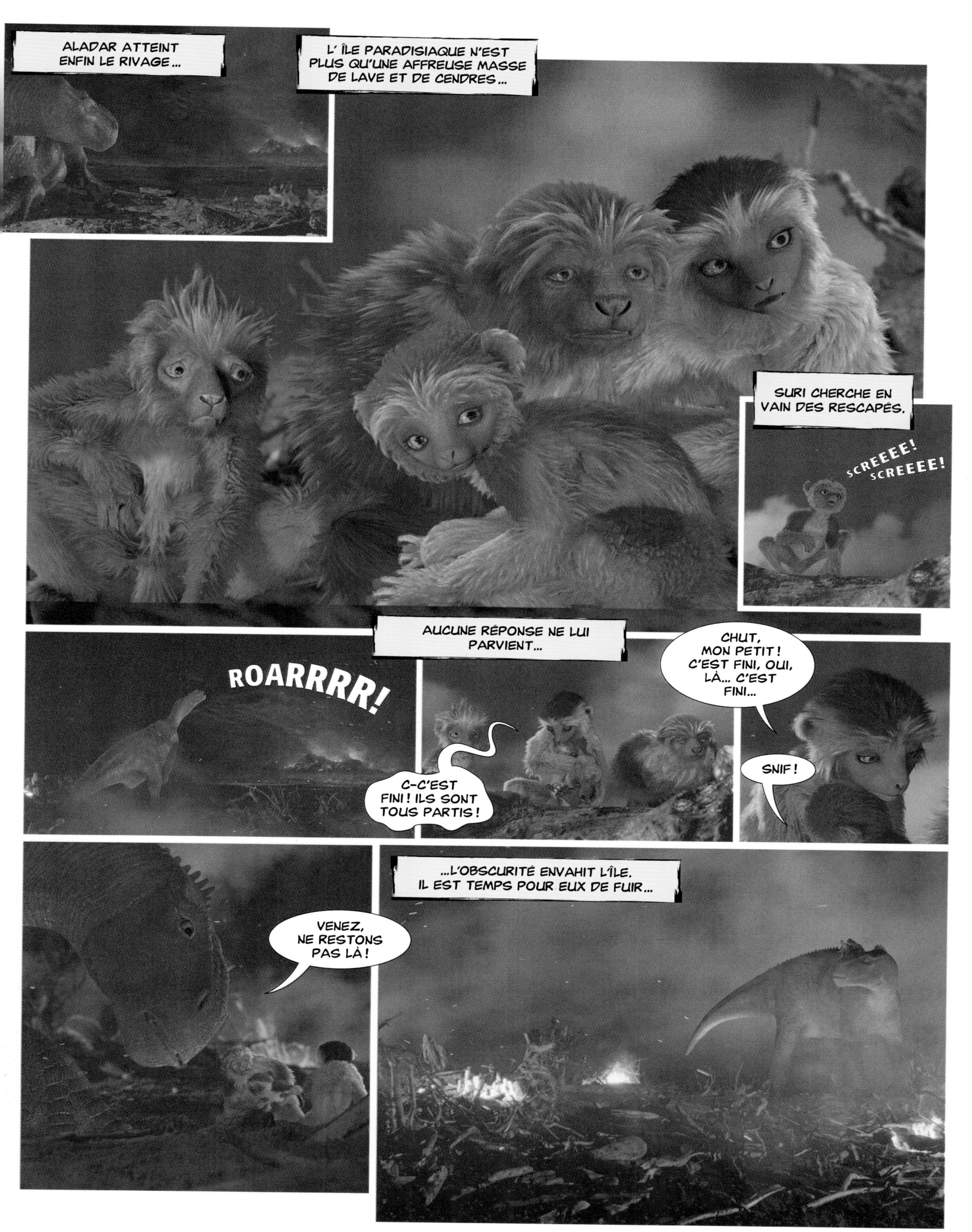
ALADAR ATTEINT ENFIN LE RIVAGE...
L' ÎLE PARADISIAQUE N'EST PLUS QU'UNE AFFREUSE MASSE DE LAVE ET DE CENDRES...
SURI CHERCHE EN VAIN DES RESCAPÉS.
SCREEEE! SCREEEE!
AUCUNE RÉPONSE NE LUI PARVIENT...
ROARRRRR!
C-C'EST FINI ! ILS SONT TOUS PARTIS !
CHUT, MON PETIT ! C'EST FINI, OUI, LÀ... C'EST FINI...
SNIF !
VENEZ, NE RESTONS PAS LÀ !
...L'OBSCURITÉ ENVAHIT L'ÎLE. IL EST TEMPS POUR EUX DE FUIR...

LE LENDEMAIN...
ALADAR GOÛTE L'EAU ET LA RECRACHE ! ELLE EST IMBUVABLE !
SNIF !
CALME-TOI, SURI ! C'EST PASSÉ MAINTENANT !
ZINI TAPE SUR L'ÉPAULE DE YAR...
REGARDE, YAR !
AAAHHH !
ÇA ALORS ! VOUS AVEZ VU?
QUOI?
OUI, J'AI VU !
MOI AUSSI !
OÙ VA-T-IL?
IL A FAIT PEUR À SURI !
PAS DU TOUT !
BON, RESTEZ TRANQUIL-LES !
LES VOILÀ SOUDAIN ENCERCLÉS... PAR DES ENNEMIS !
SSSSSSS!
SSSSSS!
DE REDOUTABLES RAPTORS !

CES MONSTRES PRENNENT POUR CIBLE ALADAR ET LES LÉMURIENS ONT DU MAL À GARDER LEUR ÉQUILIBRE SUR SON DOS...
LES RAPTORS SE RAPPROCHENT...
SNAP!
HISSSSS!
ILS ARRIVENT SUR LE PLATEAU ! ALADAR COURT AUSSI VITE QU'IL PEUT...

ACCROCHE-TOI, YAR !
YAR PERD L'ÉQUILIBRE !
SNAP!
PLIO ET ZINI LE RATTRAPENT JUSTE À TEMPS !
AU MOMENT OÙ LES RAPTORS VONT ATTEINDRE LEUR BUT...
... ILS RALENTISSENT SOUDAIN, À LA SURPRISE D'ALADAR ET DES LÉMURIENS !
ILS S'ARRÊTENT, ALADAR !

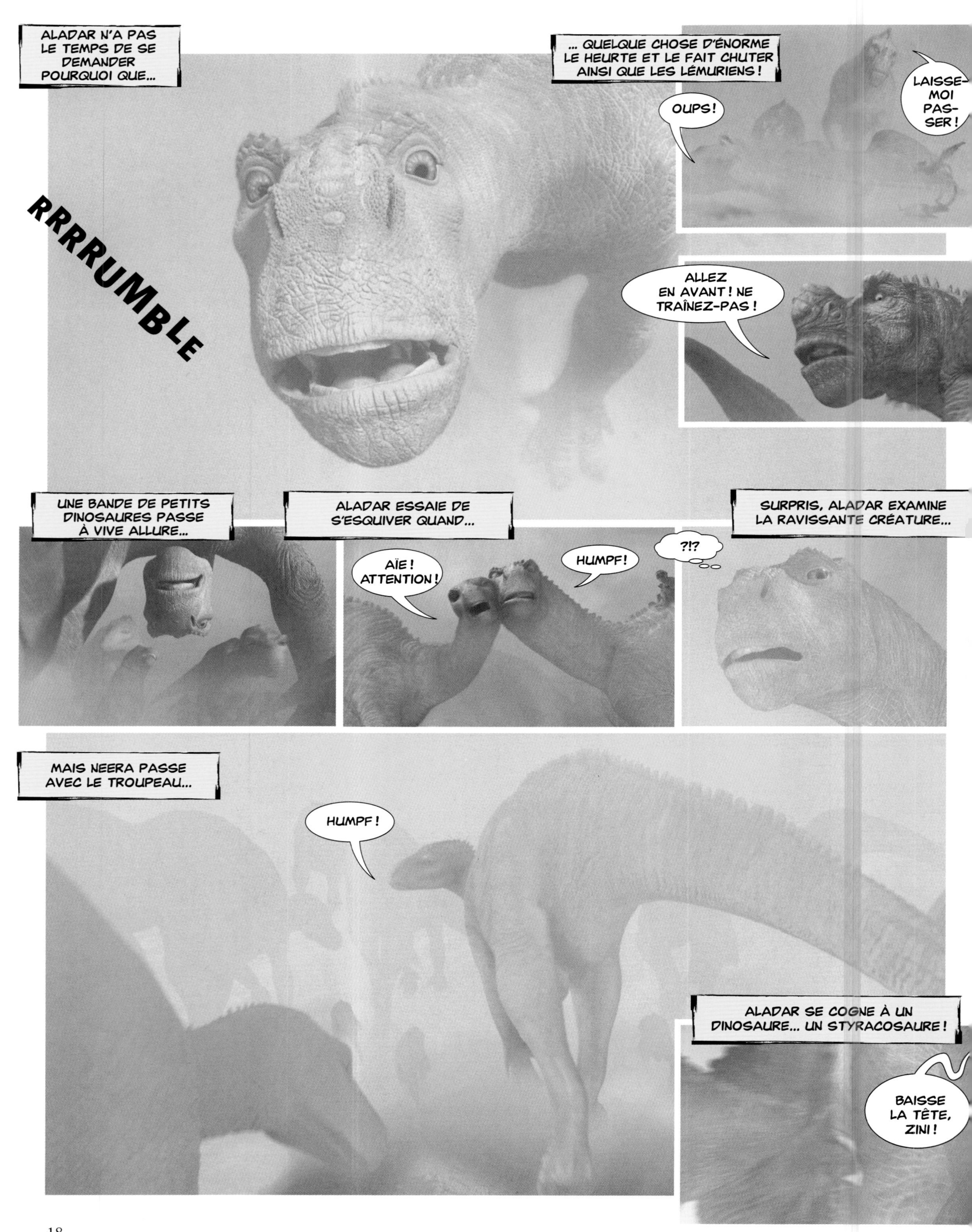
ALADAR N'A PAS LE TEMPS DE SE DEMANDER POURQUOI QUE...
RRRRUMBLE
... QUELQUE CHOSE D'ÉNORME LE HEURTE ET LE FAIT CHUTER AINSI QUE LES LÉMURIENS !
OUPS !
LAISSE-MOI PAS-SER !
ALLEZ EN AVANT ! NE TRAÎNEZ-PAS !
UNE BANDE DE PETITS DINOSAURES PASSE À VIVE ALLURE...
ALADAR ESSAIE DE S'ESQUIVER QUAND...
AÏE ! ATTENTION !
HUMPF !
?!?
SURPRIS, ALADAR EXAMINE LA RAVISSANTE CRÉATURE...
MAIS NEERA PASSE AVEC LE TROUPEAU...
HUMPF !
ALADAR SE COGNE À UN DINOSAURE... UN STYRACOSAURE !
BAISSE LA TÊTE, ZINI !

BOOOM!
BOOM!
PUIS LA TERRE TREMBLE AU PASSAGE D'UN GIGANTESQUE BRACHIOSAURE !
TU CROIS QU'EN MARCHANT À RECULONS, TU VAS AVANCER PLUS VITE ?
BOUGE UN PEU TES COURTES PATTES, P'TIT REX... SINON, TU SERAS TOUT SEUL EN ARRIÈRE !
ALADAR REGARDE L'IMPRESSIONNANT GROUPE COMPOSÉ DE DINOSAURES DE TOUTES FORMES ET DE TOUTES TAILLES !
TU AS VU TOUS CES ALADARS !
ALADAR, SI TU VEUX TE JOINDRE À NOUS... ON PEUT Y ALLER !

AAAHHH !
ACCROCHEZ-VOUS !
HISSSSS !
ALADAR ET LES LUMURIENS REJOIGNENT LA HORDE.
KRON, LE CHEF S'ARRÊTE POUR ÉTUDIER LE TERRAIN...
KRON, IL Y A UN ENDROIT MIEUX PROTÉGÉ PLUS LOIN, LÀ-BAS...
NOUS ALLONS NOUS ARRÊTER ICI POUR LA NUIT, BRUTON !
ROARRRRR !
BRUTON DONNE L'ORDRE D'INSTALLER UN CAMP.
ALADAR ET LES LÉMURIENS S'INQUIÈTENT DE TOUTE CETTE AGITATION...
J'AIMERAIS TANT ÊTRE DÉJÀ SUR LE LIEU DE PONTE, EEMA !
POURQUOI SE POUSSER ET SE BOUSCULER JUSTE POUR AVOIR UNE PLACE POUR DORMIR !
BAYLENE, TOI QUI ES ÉNERGIQUE... POUSSE-LES UN PEU !
OH ! JE N'Y ARRIVERAI PAS... BOUH ! DÉCAMPE !
INSISTE, BAYLENE ! POUR ARRIVER VIVANTE SUR LE LIEU DE PONTE, IL FAUT MONTRER QUE TU AS DU RÉPONDANT !
HÉ ! LÀ-BAS...
OH !
GASP !
PARDON, ON A ENTENDU VOTRE CONVERSATION, ET... EUH...

P'TIT REX, COMME UN BON TOUTOU, DÉPOSE UN ROCHER BAVEUX AUX PATTES D'ALADAR...
EH BIEN ! TU AS VU ? D'HABITUDE, IL N'EST PAS AUSSI ACCUEILLANT AVEC LES ÉTRANGERS !
PANT ! PANT !
OH !... TU T'ES FAIT DES TACHES SUR LE DOS !
UN BON BAIN DE BOUE ARRANGERA TOUT ÇA !
PARDON ?!?
DÉSOLÉ !
JE M'APPELLE ALADAR. ET VOICI CE QU'IL RESTE DE MA FAMILLE !
BAYLENE EST LA DERNIÈRE DE SON ESPÈCE. BEAUCOUP COMME ELLE, ONT ÉTÉ ABANDONNÉS LE LONG DE LA ROUTE !
CE SONT DE BEAUX ENDROITS, MON ENFANT !
EN PLUS, KRON NOUS CONDUIT SANS MÉNAGEMENT !
KRON EST LE GRAND CHEF !
ON N'ARRIVE PAS À SUIVRE !
ALORS, DITES-LE-LUI ! QUE CRAIGNEZ-VOUS ?
ALADAR REMARQUE UN IGUANODON À L'AIR MÉCHANT QUI APPROCHE.
HÉ ! QU'EST-CE QUI NE VA PAS ?
C'EST LUI... C'EST KRON !
EXCUSE-MOI... KRON ? TU AS UN INSTANT ?
IL EST OCCUPÉ !
DU CALME, BRUTON.
QUI ES-TU, TOI ?

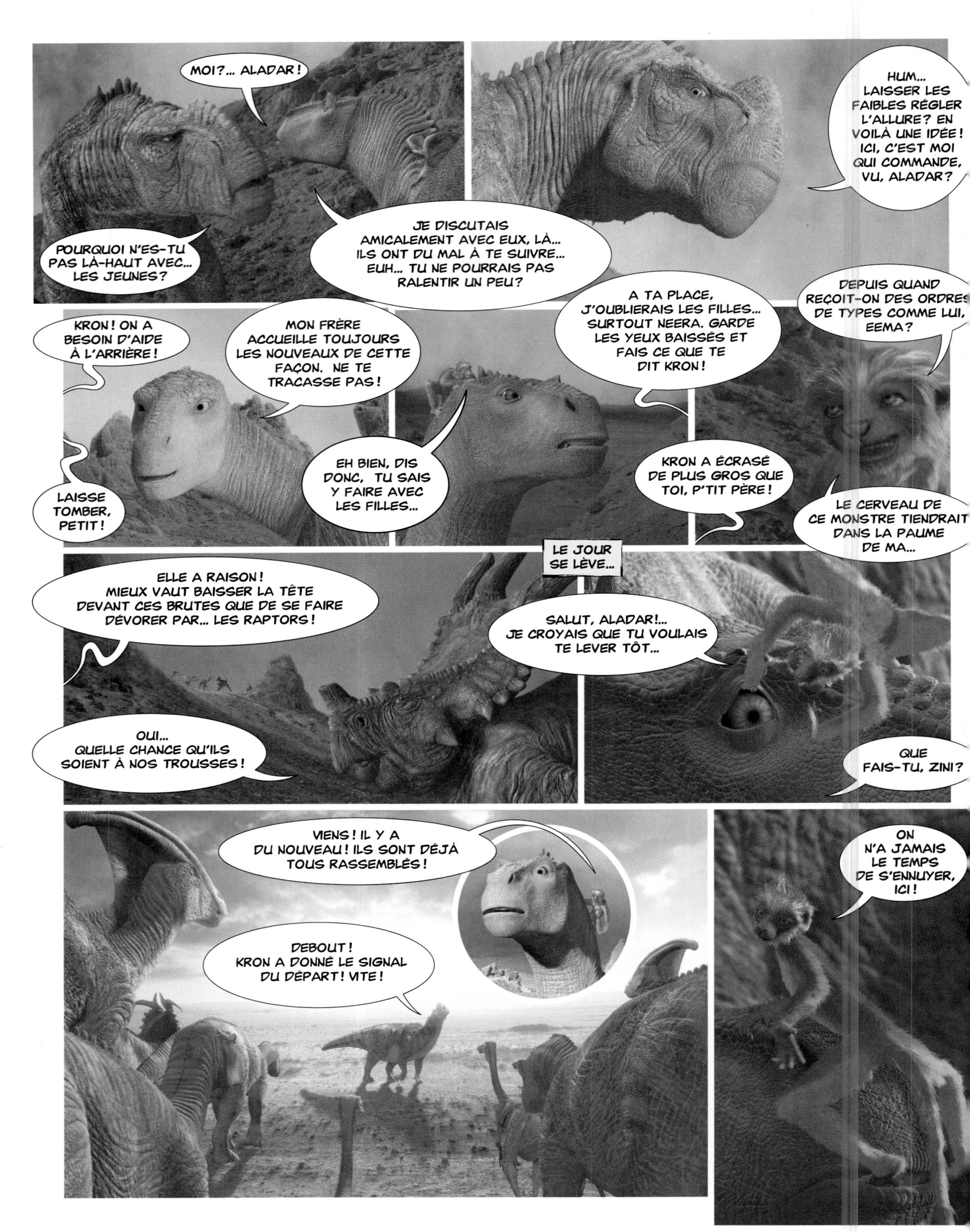
MOI?... ALADAR!
POURQUOI N'ES-TU PAS LÀ-HAUT AVEC... LES JEUNES?
JE DISCUTAIS AMICALEMENT AVEC EUX, LÀ... ILS ONT DU MAL À TE SUIVRE... EUH... TU NE POURRAIS PAS RALENTIR UN PEU?
HUM... LAISSER LES FAIBLES RÉGLER L'ALLURE? EN VOILÀ UNE IDÉE! ICI, C'EST MOI QUI COMMANDE, VU, ALADAR?
KRON! ON A BESOIN D'AIDE À L'ARRIÈRE!
MON FRÈRE ACCUEILLE TOUJOURS LES NOUVEAUX DE CETTE FAÇON. NE TE TRACASSE PAS!
LAISSE TOMBER, PETIT!
EH BIEN, DIS DONC, TU SAIS Y FAIRE AVEC LES FILLES...
A TA PLACE, J'OUBLIERAIS LES FILLES... SURTOUT NEERA. GARDE LES YEUX BAISSÉS ET FAIS CE QUE TE DIT KRON!
KRON A ÉCRASÉ DE PLUS GROS QUE TOI, P'TIT PÈRE!
DEPUIS QUAND REÇOIT-ON DES ORDRES DE TYPES COMME LUI, EEMA?
LE CERVEAU DE CE MONSTRE TIENDRAIT DANS LA PAUME DE MA...
ELLE A RAISON! MIEUX VAUT BAISSER LA TÊTE DEVANT CES BRUTES QUE DE SE FAIRE DÉVORER PAR... LES RAPTORS!
OUI... QUELLE CHANCE QU'ILS SOIENT À NOS TROUSSES!
LE JOUR SE LÈVE...
SALUT, ALADAR!... JE CROYAIS QUE TU VOULAIS TE LEVER TÔT...
QUE FAIS-TU, ZINI?
VIENS! IL Y A DU NOUVEAU! ILS SONT DÉJÀ TOUS RASSEMBLÉS!
DEBOUT! KRON A DONNÉ LE SIGNAL DU DÉPART! VITE!
ON N'A JAMAIS LE TEMPS DE S'ENNUYER, ICI!

QU'EST-CE QUE TU DISAIS?...
CHUT, ZINI !
EUH... NON, CHEF ! RIEN !
QU'IL EST LAID, DIS DONC, HEIN?
JE VOUS CONSEILLE DE VOUS ACTIVER, TOI ET CE PETIT PARASITE, SAUF SI VOUS ÊTES CANDIDATS AU SUICIDE !
VOILÀ TA COPINE ! NEERA... PEAU ÉCAILLEUSE, YEUX JAUNES, CHEVILLES ÉPAISSES...
OUAIS, JE LUI AI FAIT UNE FORTE IMPRESSION !
IL NE TE MANQUE QUE LES CONSEILS DU "PROF' D'AMOUR" !
CACHÉ DANS E COU ALADAR, APPELLE EERA...
BEAU-TÉ !
ON APPELLE ÇA UN "BLAGO-SAURE" !
ÇA Y EST... LA GLACE EST ROMPUE !
BEAUCOUP PARMI NOUS VIENNENT POUR LA PREMIÈRE FOIS. ASSURE-TOI QU'ILS AIENT BIEN COMPRIS ! ON NE S'ARRÊTERA POUR RIEN... NI PERSONNE !
SI C'EST TRE PREMIÈRE TRAVERSÉE, COUTEZ BIEN.
PAS D'EAU AVANT D'AVOIR ATTEINT L'AUTRE RIVE !
TENEZ LE COUP !
CAR, SI UN PRÉDATEUR VOUS ATTAQUE, IL FAUDRA VOUS DÉBROUILLER !
EN ROUTE !
BON SANG ! CETTE MARCHE VA ÊTRE LONGUE !
SURTOUT PAR CETTE CHALEUR ! SI TU SENS UNE ODEUR DE GRILLÉ... CE SERA MOI !

ALADAR ET LES RETARDATAIRES S'EFFORCENT DE GARDER L'ALLURE MALGRÉ LA CHALEUR SUFFOCANTE...
ALLEZ ! PLUS VITE !
D'ACCORD !
SOUS CETTE FOURNAISE IMPLACABLE, MALHEUR À CEUX QUI FAIBLISSENT !
LES RAPTORS SURVEILLENT, IMPITOYABLES !
DIS DONC, MA VIEILLE, MARCHE DROIT...
PANT! PANT!
PFF ! ET AVEC UN SINGE SUR LE DOS !
MAIS EEMA NE SUPPORTE PLUS LA CHALEUR NI LE RYTHME...
DEBOUT, EEMA ! CES MONSTRES ATTENDENT POUR TE DÉVORER !
LE FESTIN DES VORACES RAPTORS EST INTERROMPU PAR DE REDOUTABLES MONSTRES...
... DES CARNOTAURES, QUI ONT FLAIRÉ UN BON REPAS...
NÉANMOINS, LA TROUPE AVANCE, ET SOUDAIN UN LAC SE PROFILE AU LOIN.
JE N'EN PEUX PLUS !
DU NERF, EEMA ! DE "L'EAU" ! RAPPELLE-TOI....
J'AI BESOIN DE ME RAFRAÎCHIR LA MÉMOIRE !

JE DESCENDRAI DANS LE LAC ET JE M'Y ENFONCERAI JUSQU'AUX YEUX !
HÉLAS, LE LAC EST À SEC... CE N'EST PLUS QU'UN DÉSERT ARIDE...
KRON DOIT FAIRE FACE À DES DINOSAURES ASSOIFFÉS ET ÉPUISÉS...
LES PLUIES SONT PARTIES AILLEURS ! QUE COMPTES-TU FAIRE?
PRENDS DES ÉCLAIREURS... ET VA VOIR !
DEUX JEUNES DINOSAURES PLEURNICHENT... UNE OMBRE S'AVANCE SUR EUX... CELLE DE KRON !
WHI-I-INE!
SNIFFLE!
WHIMPER!
TAISEZ-VOUS ! SOYEZ FORTS ! IL FAUT POURSUIVRE NOTRE ROUTE !
SNIF!
NOUS N'AVONS JAMAIS AUTANT MARCHÉ SANS BOIRE, KRON. ON VA PERDRE LA MOITIÉ DU TROUPEAU !
ALORS, JE SAUVERAI L'AUTRE MOITIÉ, CELLE QUI MÉRITE DE VIVRE!
QUOI? ILS REPARTENT DÉJÀ? PFF, ON NE TIENDRA PAS !
IL Y AVAIT DE L'EAU ICI AVANT... BEAUCOUP D'EAU !

EEMA SE PRÉCIPITE DANS LE LIT DU LAC...
IL Y AVAIT TOUJOURS DE L'EAU!... DE LA BONNE EAU ET DE LA BONNE BOUE...
REVIENS, EEMA !
ILS VONT NOUS ABANDONNER !
IL N'Y A PAS D'EAU, JE TE DIS !
ALLONS, LÈVE-TOI !
...DE L'EAU PARTOUT !
ALADAR A ENTENDU QUELQUE CHOSE...
NE BOUGE PAS, BAYLENE !
SQUISH!
SQUISH!
LÈVE LA PATTE, BAYLENE. ET MAINTENANT... FRAPPE LE SOL...
DE L'EAU !
PAS POSSIBLE !
BRAVO ! J'AI TOUJOURS ADORÉ LES FILLES FORTES !
REVENEZ ! IL Y A DE L'EAU !
ALADAR ALERTE LE TROUPEAU...
OUI, EEMA... BOIS !
NEERA REGARDE KRON... IL SE PRÉCIPITE, ÉCARTANT LES ORPHELINS AFIN D'ÊTRE LE PREMIER...
ALADAR A TROUVÉ DE L'EAU !
REGARDE, KRON... IL SUFFIT DE CREUSER, ET...
MAINTENANT, ÔTE-TOI DE MON CHEMIN !

LA TROUPE SE PRÉCIPITE À LA RECHERCHE DE L'EAU... LES LÉMURIENS ET LES RETARDATAIRES...
ATTENDEZ... ARRÊTEZ ! IL Y EN AURA POUR TOUT LE MONDE !
RRRRUMBLE
RRRRUMBLE
RRRRUMBLE
EEMA !
EEMA EST MALMENÉE ET BOUSCULÉE DE TOUS CÔTÉS... ALADAR S'INQUIÈTE POUR ELLE...
C'EST MALIN... ILS CONTINUENT À SE BOUSCULER ET À S'ÉCRASER...
NEERA REGARDE ALADAR PROTÉGER EEMA DE SON CORPS...
DANS LA MÊLÉE, NEERA COMMENCE À COMPRENDRE COMBIEN CE NOUVEAU, ALADAR... EST DIFFÉRENT DE SON FRÈRE...
BRUTON ET SON ÉCLAIREUR SONT DÉJÀ LOIN DEVANT...
ON A MARCHÉ POUR RIEN , BRUTON. IL N'Y A PAS D'EAU ICI ! FAISONS DEMI-TOUR !
CHUT ! PARLE PLUS BAS, SORTONS D'ICI !
SOUDAIN...
UN AUTRE CARNOTAURE POURSUIT BRUTON SUR LA FALAISE...
MAIS UNE SCÈNE PLUS PAISIBLE SE DÉROULE PRÈS DU LIT DU LAC...
VOUS ÊTES ENCORE PETITS ! MAIS SOYEZ COURAGEUX, COMME LES PLUS GRANDS... COMME MOI !

LES JEUNES ORPHELINS SE SONT RÉFUGIÉS DANS UNE GROTTE...
EH ! QUE SE PASSE-T-IL?
LES PETITS ALADARS N'ONT RIEN EU À BOIRE. JE CROIS QU'ILS ONT PEUR DE MOI !
PAS ÉTONNANT, SURI ! TU FAIS PEUR À VOIR !
DU CALME, LES ENFANTS ! CE N'EST QU'UNE BOULE DE POILS !
ET FIÈRE DE L'ÊTRE ! VENEZ !
ALADAR A TROUVÉ DE L'EAU !
LES PETITS DINOSAURES SE POUSSENT ET SE BOUSCULENT POUR PASSER...
HOLÀ ! DOUCEMENT ! AU LIEU DE VOUS BOUSCULER, TRAVAILLEZ ENSEMBLE !
PRÊTS? UNE, DEUX, TROIS... APPUYEZ FORT...
BON TRAVAIL, SURI ! DITES, LES JEUNES, OÙ SONT VOS PARENTS?
LA PLUPART D'ENTRE NOUS N'EN ONT PLUS !
TU AIMES LES ENFANTS?
OUI... SAUF LES TROP MAIGRES... ILS SONT DURS À MÂCHER...
RAPPELLE-TOI, JE SUIS ALADAR, LE... BLAGOSAURE !
AH !... OUI, EXCUSE-MOI !
PLIO RÉVEILLE YAR POUR QU'IL VOIE ALADAR AVEC NEERA...
TU AS SANS DOUTE RAISON !
PAPA... REGARDE !
POURQUOI AS-TU AIDÉ CETTE VIEILLE EEMA?
QUE FALLAIT-IL FAIRE?... L'ABANDONNER DERRIÈRE NOUS?

C'EST AINSI QUE ÇA SE PASSE ! ON NE PEUT PAS SURVIVRE SI ON N'EST PAS...
... ASSEZ FORT? EST-CE TON AVIS PERSONNEL? OU CELUI DE TON FRÈRE? TOUT LE MONDE COMPTE, NEERA... QU'IL SOIT FORT OU FAIBLE !

ET SI ON VEILLE TOUS LES UNS SUR LES AUTRES, ON AUGMENTERA NOS CHANCES DE SURVIVRE DANS CETTE NATURE HOSTILE !
TU CROIS CELA?

JE NE SAIS PAS!...
ET PUIS... OH ! TOI AUSSI, TU VEUX DE L'EAU?

JE PEUX?
IL SUFFIT D'APPUYER !

LEURS PATTES SE HEURTENT ... ET LEURS REGARDS SE CROISENT...
HEM... PARDON !
OH... DÉSOLÉ !

NON... TOI D'ABORD!

KRON OBSERVE... UN BRUIT SE FAIT ENTENDRE AU LOIN...
KRON...

BRUTON REVIENT, GRAVEMENT BLESSÉ, AVERTIR LE TROUPEAU...
DES CARNOTAURES !
QUOI?!? ILS NE S'AVENTURENT JAMAIS AU NORD !

ROARRRRR!
LA BOULE DE FEU A DÛ LES FAIRE FUIR JUSQU'ICI!
TU LES AS CONDUITS DROIT SUR NOUS! NOUS ALLONS SERVIR DE NOURRITURE!
QUE SE PASSE-T-IL, NEERA?
MON FRÈRE DONNE LE SIGNAL DU DÉPART!
QU'Y A-T-IL, KRON?
DES CARNOTAURES APPROCHENT! PARTONS OU ILS NOUS ATTRAPERONT TOUS!
MAIS... LES DERNIERS NE POURRONT JAMAIS PASSER!
ILS RALENTIRONT LES PRÉDATEURS!
TU NE PEUX PAS LES SACRIFIER AINSI!
ALADAR S'ADRESSE AU TROUPEAU...
ATTENDEZ! ET SI C'ÉTAIT TOI QUI FERMAIS LA MARCHE?!...
KRON FAIT FACE À ALADAR...
UN CONSEIL: NE T'EN MÊLE PAS... OU JE TE TUERAI!
NE T'APPROCHE PLUS DE LUI, NEERA!

ALADAR SE LANCE DERRIÈRE KRON, MAIS NEERA L'ARRÊTE...
NON, ALADAR ! VA-T'EN... JE ME DÉBROUILLE-RAI !
ALADAR REVIENT VITE VERS SES AMIS...
ALLONS-Y ! DÉPÊCHEZ-VOUS ! DES CARNOTAURES ARRIVENT !

DES CARNO-QUOI ?
PRESSONS !
IL NE FAUT PAS RESTER DERRIÈRE !
DES "CARNOTAURES " ! UNE SALE TÊTE AVEC UNE ÉNORME GUEULE HÉRISSÉE DE DENTS !

VITE ! NOUS PERDONS DU TERRAIN !
ALLEZ, COU-RAGE !

LE COEUR SERRÉ, ALADAR REGARDE S'ÉLOIGNER LA HORDE...
...MAIS IL NE PEUT PAS ABANDONNER SES AMIS !
LES CARNASSIERS SURVEILLENT ATTENTIVEMENT LE GROUPE...
ALADAR CONTINUE À MENER SA PETITE TROUPE DANS LES PLATEAUX SECOUÉS PAR L'ORAGE...

MOANNNNN!
C'EST QUOI?
ÇA VIENT DE LÀ-HAUT!
DEUX CARNOTAURES?
ILS ARRIVENT!
ET... QUE PEUT-IL NOUS ARRIVER DE PIRE?
UN CARNOTAURE!
BON! ET À PART ÇA, QUOI D'AUTRE?
SI C'EST ÇA, JE FILE!
NOUS AUSSI! A MOINS QUE CE NE SOIT LA TROUPE... ALLONS VOIR!
EH! C'EST BRUTON!
ON N'EST PAS LES SEULS RETARDAIRES!
QU'EST-IL ARRIVÉ?
MALHEUR! LES CARNOTAURES! IL FAUT PARTIR!
ON NE PEUT PAS LE LAISSER ICI!
SI, À CONDITION DE DÉGUERPIR!
PAUVRE BRUTON... TU AS L'AIR MAL EN POINT! JE VAIS T'AIDER!
GARDE TA PITIÉ POUR TOI! J'AI BESOIN DE REPOS! LAISSEZ-MOI!
A LA LUEUR DES ÉCLAIRS, ALADAR VOIT P'TIT REX QUI CHERCHE UN ABRI...
COMME TU VOUDRAS!
MAIS SI TU CHANGES D'IDÉE, ON SERA DANS CES GROTTES!
IL FAIT SOMBRE, MAIS ON EST AU SEC!
LA SÉCHERESSE, J'ADORE... C'EST L'OBSCURITÉ QUI ME GÊNE!
OUILLE! OHHH...

TANDIS QUE LES RETARDATAIRES ET LES LÉMURIENS S'INSTALLENT DANS LA GROTTE...
TIENS ! ON A DE LA VISITE !
BRUTON SE TRAÎNE VERS L'ENTRÉE ET S'ÉCROULE...
ALADAR S'APPROCHE...
TU ENTRES, OUI OU NON ?
QU'EN PENSES-TU ?
JE SUIS DU GENRE À M'ABRITER DE L'ORAGE ! ALLEZ, VIENS... RELÈVE-TOI !
METS-TOI PRÈS DE NOUS ! TU AURAS PLUS CHAUD !
PLIO RECONNAÎT UNE PLANTE FAMILIÈRE SUR LES PAROIS...
QUI A ORGANISÉ CE VOYAGE, AU FAIT ?
BIENTÔT, VOUS SEREZ SUR LE LIEU DE PONTE !
ALORS JE VAIS DIRE À KRON TOUT CE QUE J'AI SUR LE COEUR !
BIEN DIT, EEMA !
CETTE PLANTE POUSSAIT SUR NOTRE ÎLE ! ELLE TE REDONNERA DES FORCES !
POURQUOI FAIT-IL ÇA ? POURQUOI LEUR DONNE-T-IL DE FAUX ESPOIRS ?
SEUL L'ESPOIR NOUS A FAIT MARCHER JUSQU'ICI !

QU'IL LES LAISSE ACCEPTER LEUR DESTIN ! MOI... J'AI DÉJÀ ACCEPTÉ LE MIEN !
AH? ET QUEL EST TON DESTIN?
AINSI VONT LES CHOSES !
SEULEMENT SI TU LE VEUX, BRUTON ! C'EST TON CHOIX, PAS TON DESTIN !
TIENS, CETTE PLANTE T'AIDERA !
PLIO LAISSE BRUTON ET REJOINT LES AUTRES...
SOUDAIN...
SNIF!
SNIF!
QU'EST-CE QU'ON FAIT?
RÉVEILLE LES AUTRES !
ALADAR EMPÊCHE P'TIT REX DE PARLER... LES MALHEUREUX TREMBLENT D'HORREUR
CHHHUT! LES CARNOTAURES !
OOUH-MMF !
LES CARNOTAURES SE SONT ARRÊTÉS, AUX AGUETS...

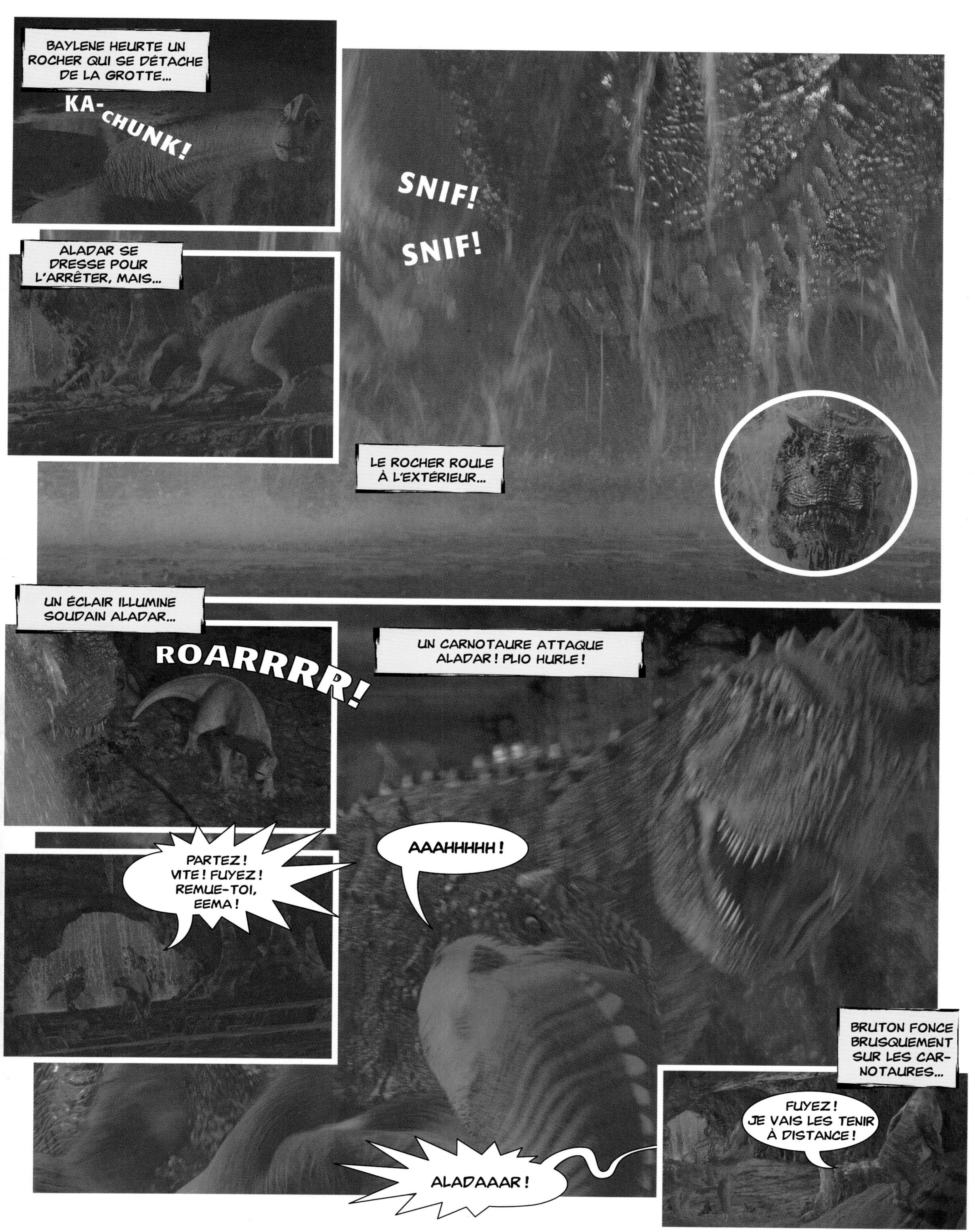
BAYLENE HEURTE UN ROCHER QUI SE DÉTACHE DE LA GROTTE...
KA-CHUNK!
SNIF!
SNIF!
ALADAR SE DRESSE POUR L'ARRÊTER, MAIS...
LE ROCHER ROULE À L'EXTÉRIEUR...
UN ÉCLAIR ILLUMINE SOUDAIN ALADAR...
ROARRRRR!
UN CARNOTAURE ATTAQUE ALADAR ! PLIO HURLE !
PARTEZ ! VITE ! FUYEZ ! REMUE-TOI, EEMA !
AAAHHHHH !
BRUTON FONCE BRUSQUEMENT SUR LES CAR-NOTAURES...
FUYEZ ! JE VAIS LES TENIR À DISTANCE !
ALADAAAR !

AVANCEZ !

BIEN QU'AFFAIBLI PAR SES BLESSURES, BRUTON LIVRE BATAILLE AVEC VAILLANCE...
GARRRRRR!
UHHH!
UHH!
... MAIS IL N'EST PAS DE TAILLE FACE AUX ÉNORMES BÊTES PUISSANTES...

BRUTON REPÈRE UN PILIER DANS LA GROTTE ET SE JETTE CONTRE LUI...

CRAAACK!
NON, BRUTON ! NOOON !
COMME IL FRAPPE LE PILIER, LE PLAFOND DE LA GROTTE S'ÉCROULE...

CRUMMMBLE
B-BOOM!
LE SEUL CARNOTAURE SURVIVANT S'ENFUIT EN GRONDANT DE FUREUR...
ALADAR CHERCHE BRUTON DANS LES DÉCOMBRES...
TOUSS ! TOUSS ! BRUTON...!
MAIS LE COURAGEUX DÉFENSEUR N'EST PLUS !
ROARRRR!
ALADAR ET SA BANDE CHERCHENT UNE ISSUE DANS LE FOND DE LA GROTTE...

KRON ET SON TROUPEAU AVANCENT SOUS UN SOLEIL BRÛLANT...

CERTAINS N'EN PEUVENT PLUS...

MAIS KRON NE SE LAISSE PAS ATTENDRIR...

WHINE!

PAS MÊME PAR LES PLUS JEUNES MEMBRES DU GROUPE...

NEERA LES ENCOURAGE DE SES SOURIRES...
IL FAUT AVANCER, ON NE PEUT PAS RESTER LÀ !

ELLE NE VOIT PAS TRACE DES RETARDATAIRES, NI D'ALADAR...
NEERA ET LES DEUX ORPHELINS CONTINUENT, SEULS...

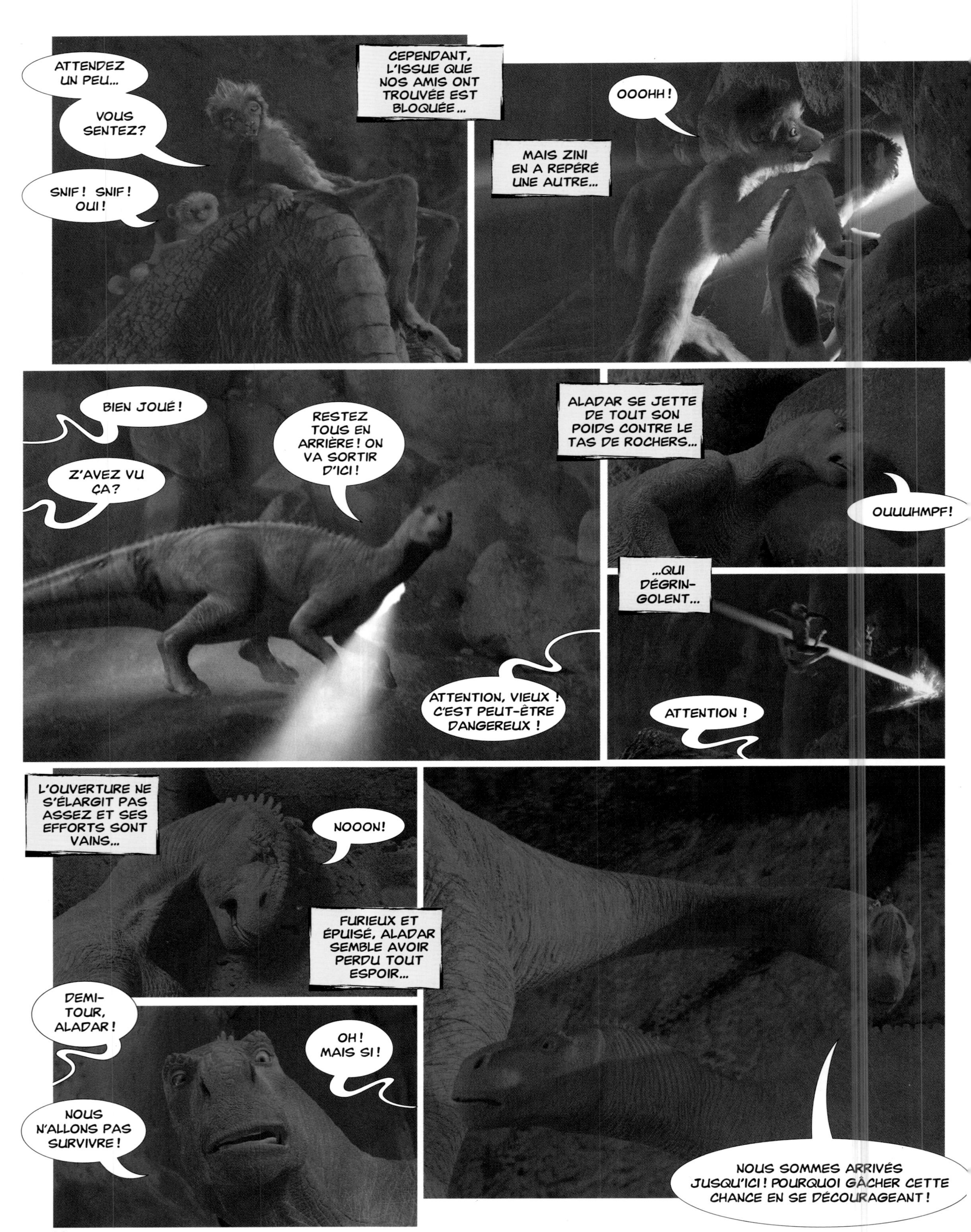
ATTENDEZ UN PEU...
VOUS SENTEZ?
SNIF ! SNIF ! OUI !
CEPENDANT, L'ISSUE QUE NOS AMIS ONT TROUVÉE EST BLOQUÉE...
OOOHH !
MAIS ZINI EN A REPÉRÉ UNE AUTRE...
BIEN JOUÉ !
Z'AVEZ VU ÇA?
RESTEZ TOUS EN ARRIÈRE ! ON VA SORTIR D'ICI !
ATTENTION, VIEUX ! C'EST PEUT-ÊTRE DANGEREUX !
ALADAR SE JETTE DE TOUT SON POIDS CONTRE LE TAS DE ROCHERS...
OUUUHMPF !
...QUI DÉGRIN-GOLENT...
ATTENTION !
L'OUVERTURE NE S'ÉLARGIT PAS ASSEZ ET SES EFFORTS SONT VAINS...
NOOON!
FURIEUX ET ÉPUISÉ, ALADAR SEMBLE AVOIR PERDU TOUT ESPOIR...
DEMI-TOUR, ALADAR !
OH ! MAIS SI !
NOUS N'ALLONS PAS SURVIVRE !
NOUS SOMMES ARRIVÉS JUSQU'ICI ! POURQUOI GÂCHER CETTE CHANCE EN SE DÉCOURAGEANT !

C'EST FORT D'AVOIR FAIT CROIRE À UNE VIEILLE FOLLE COMME MOI QU'ELLE ÉTAIT ENCORE UTILE, DE LUI AVOIR DONNÉ UN OBJECTIF. ET... TU SAIS QUOI? TU AS EU RAISON!
ET JE VAIS CONTINUER À Y CROIRE!
CAR JE N'AI PAS L'INTENTION DE MOURIR ICI!...
OUUUUHMPF!
BOOM! BOOM!
BAYLENE LANCE SON ÉNORME CORPS CONTRE L'ÉBOULIS ROCHEUX...
EEMA ET P'TIT REX JOIGNENT LEURS FORCES AUX SIENNES...
B-BOOM! B-BOOM!

L'AMAS DE ROCHES S'EFFONDRE ET LA LUMIÈRE DU SOLEIL S'ENGOUFFRE, RÉVÉLANT...
LA TERRE DES NIDS!

C'EST... MERVEILLEUX!
J...JE N'ARRIVE PAS À Y CROIRE...

CE SERA CHEZ NOUS!
...IL Y A UNE GRANDE PISCINE!
BAYLENE, ZINI ET SURI ACCROCHÉS À SON DOS, DÉVALE LA COLLINE...
HA! HA! YOUPIII!
YAAA-OUUUUH!
PUFF! PUFF!
HA! HA! HAAA!
JE PLOOONGE! HA! HA!
WAHOUUU!
AVANT QUE BAYLENE AIT SAUTÉ DANS LE LAC, ZINI PLONGE DU SOMMET DE SA TÊTE...
RIGOLO, VA!
SPLISH!

ATTENTION EN BAS!

WOU-HOUUUH!
SPAALAAAASSH!

PAS MAL! MAIS… OÙ SONT DONC LES AUTRES?
TU VEUX DIRE… NEERA?
HÉ! HÉ!
BAH! ILS VONT ARRIVER… BIENTÔT… C'EST SÛR…
J'AI PARLÉ TROP VITE! L'ÉBOULEMENT DE ROCHERS BLOQUE L'ENTRÉE QU'ON AURAIT DÛ EMPRUNTER!
ILS NE POURRONT JAMAIS LE FRANCHIR! JE VAIS LES CHERCHER!
ATTENDS, ALADAR! KRON VA T'AVALER VIVANT!
QU'IMPORTE! JE DOIS FAIRE QUELQUE CHOSE!
ESPÉRONS QUE KRON VOUDRA BIEN T'ÉCOUTER!
KRON EST JUSTE DE L'AUTRE CÔTÉ DE L'ÉBOULIS, FRAPPÉ DE STUPEUR…
MAIS PAS MOINS QUE LE RESTE DE LA HORDE!
RESTEZ LÀ, LES JEUNES!
TROUVONS UN AUTRE PASSAGE!
NON, GRIMPONS!
ALADAR RETOURNE DANS LA GROTTE AFIN DE GUIDER LES AUTRES…
HUUUM!

ALADAR A FAILLI TOMBER SUR LE CARNOTAURE !
GRRRR... SNIFI! SNIF!
OHHH...!
HEUREUSEMENT, LE MONSTRE EST ATTIRÉ PAR UNE CARCASSE...
PRÈS DE L'ÉBOULIS ROCHEUX, KRON POUSSE LE TROUPEAU À ESCALADER...
COURAGE! NOTRE SURVIE ET NOTRE AVENIR DÉPENDENT DE CE QU'IL Y A DERRIÈRE CES ROCHERS!
ALLEZ, UN EFFORT, ON Y EST!
VOUS RÉUSSIREZ, LES JEUNES...HEIN?
NON!
LE TROUPEAU AVANCE À CONTRECOEUR VERS L'ÉBOULEMENT ...
REGARDEZ CES PETITS JEUNES! S'ILS ONT RÉUSSI, VOUS POUVEZ LE FAIRE!
KRON!
KRON! FAIS-NOUS SORTIR D'ICI! UN CARNOTAURE ARRIVE!
NON, CONTINUEZ!

ARRÊTEZ ! JE SUIS ALLÉ DANS LA VALLÉE ! JE CONNAIS UN CHEMIN PLUS SÛR !

MAIS KRON POUSSE LES ORPHELINS...
ENCORE UN EFFORT!

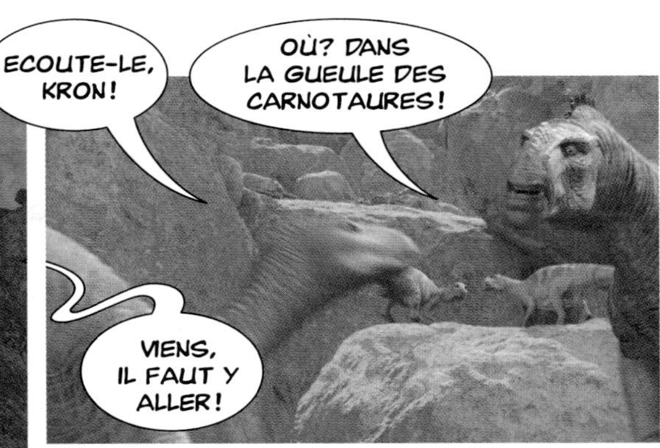
ECOUTE-LE, KRON!
OÙ? DANS LA GUEULE DES CARNOTAURES!
VIENS, IL FAUT Y ALLER!

SI ON SE PRESSE, ON PEUT ENCORE PASSER... N'ESSAYEZ PAS DE FRANCHIR LES ROCHERS... DE L'AUTRE CÔTÉ, C'EST UN PRÉCIPICE!

TU ENVOIES LE TROUPEAU À LA MORT! IL Y A UN CHEMIN ACCES-SIBLE POUR ATTEINDRE LA VALLÉE!
SUIVEZ-MOI!

ÇA SUFFIT!
KRON SE PRÉCIPITE SUR ALADAR...
GROAAAAR!
...ET LE MET À TERRE !
OUPS!

ALADAR SE RELÈVE ET BOUSCULE KRON !
GRRRAAA !
KRON LE FRAPPE DE L'AIGUILLON POINTU DE SON POUCE...
OURGH !
GRAAARRR !
KRON VEUT TUER ALADAR...
NEERA REPOUS-SE KRON...
NON !
LA TRIBU ABANBONNE KRON POUR SUIVRE NEERA ET ALADAR...
...ET AIDE ALADAR À SE RELEVER...
NEERAAAAA !

SOUDAIN !
ROARRRRR!
LE CARNOTAURE ! IL FONCE SUR NOUS !
LE TROUPEAU, AFFOLÉ, RETOURNE AUPRÈS DE KRON !
NE BOUGEZ PAS ! SI ON SE DISPERSE, IL NOUS ATTAQUERA ! RESTONS GROUPÉS !

KRON ESCALADE LES ROCHERS... LA PANIQUE GAGNE LE GROUPE...
ALADAR, FERMEMENT PLANTÉ SUR SES PATTES, FAIT FACE À L'ÉNORME BÊTE QUI CHARGE...
NEERA LE REJOINT VAILLAMMENT...
ALADAR ET LE TROUPEAU S'UNISSENT POUR FAIRE FACE AU MONSTRE...
ILS ACCULENT LE CARNOTAURE TOUT AU FOND DU CANYON...
ALORS, L'HORRIBLE BÊTE S'ÉLANCE DERRIÈRE KRON !
KROOON !
ALADAR ET NEERA SE PRÉCIPITENT À SON SECOURS !
LA RETRAITE DE KRON EST STOPPÉE PAR LE BORD DU PRÉCIPICE !

LE CARNOTAURE REJOINT KRON...
ROARRRRR!
...LE MORD SAUVAGE-MENT ET LE PLAQUE CONTRE LA PAROI !
ROMFF!
NEERA ATTAQUE LE CARNOTAURE...
...QUI LA PROJETTE AU SOL !
OUUUF !
ALADAR LE FRAPPE D'UN COUP DE QUEUE !
MAIS, ALADAR POUSSE LE CARNO-TAURE AU BORD DU PRÉCIPICE...
LE CARNOTAURE RIPOSTE ET DÉSÉQUILIBRE ALADAR !
...QUI COMMENCE À S'EFFRITER SOUS LEURS POIDS...
CRRUMBLE!
CRRAASH!
CRRRUMBLE!

KRON ESCALADE LES ROCHERS... LA PANIQUE GAGNE LE GROUPE...
ALADAR, FERMEMENT PLANTÉ SUR SES PATTES, FAIT FACE À L'ÉNORME BÊTE QUI CHARGE...
NEERA LE REJOINT VAILLAMMENT...
ALADAR ET LE TROUPEAU S'UNISSENT POUR FAIRE FACE AU MONSTRE...
ILS ACCULENT LE CARNOTAURE TOUT AU FOND DU CANYON...
ALORS, L'HORRIBLE BÊTE S'ÉLANCE DERRIÈRE KRON !
KROOON !
ALADAR ET NEERA SE PRÉCIPITENT À SON SECOURS !
LA RETRAITE DE KRON EST STOPPÉE PAR LE BORD DU PRÉCIPICE !

LE CARNOTAURE REJOINT KRON...
ROARRRRR!
...LE MORD SAUVAGEMENT ET LE PLAQUE CONTRE LA PAROI !
ROMFF!
NEERA ATTAQUE LE CARNOTAURE...
...QUI LA PROJETTE AU SOL !
OUUUF !
ALADAR LE FRAPPE D'UN COUP DE QUEUE !
LE CARNOTAURE RIPOSTE ET DÉSÉQUILIBRE ALADAR !
MAIS, ALADAR POUSSE LE CARNOTAURE AU BORD DU PRÉCIPICE...
...QUI COMMENCE À S'EFFRITER SOUS LEURS POIDS...
CRRUMBLE!
CRRAASH!
CRRRUMBLE!

SEUL, ALADAR S'AGRIPPE
À TEMPS À LA CORNICHE !
RRRAAR...

NEERA CHERCHE UN SIGNE
DE VIE SUR LE CORPS
INANIMÉ DE KRON...

DANS LA VALLÉE IDYLLIQUE,
UN NOUVEAU JOUR SE LÈVE...

QUELQUES MOIS PLUS
TARD, ON SE RÉJOUIT DE
L'ATTENTE D'UN HEUREUX
ÉVÉNEMENT...

POUSSEZ-VOUS TOUS ! JE M'Y CONNAIS POUR FAIRE NAÎTRE UN PETIT !
ÇA DOIT FAIRE UN BOUT DE TEMPS QUE TU N'AS PAS COUVÉ D'ŒUF !
C'EST EXACT, YAR... JE VAIS M'EXERCER AVEC TA TÊTE !

OOOHHH ! VOILÀ LE PLUS ADORABLE NOUVEAU-NÉ QUE J'AIE JAMAIS VU !

SALUT, BIJOU! TU AS VU COMME IL ME RESSEMBLE, NEERA?
C'EST TON PAPA! MAIS IL N'EST PAS AUSSI FOU QU'IL EN A L'AIR!
VOILÀ UNE BELLE JOURNÉE!
C'EST TRÈS BIEN, MON PETIT!
HA! HA! HA!
HI! HI! HI! HO! HO!
REGARDEZ! J'AI TROUVÉ DE NOUVEAUX VOISINS! LES FILLES, VOUS ÊTES D'ACCORD POUR UNE PARTIE DE SINGE PERCHÉ?
DU CALME! DOUCEMENT!
HI! HI! HI! HO! HO!
HA! HA! GRRROAR!
K-K-K-KAAA-KOUUU!
LES DINOSAURES VÉCURENT LONGTEMPS AVEC LEURS PETITS...
...ET LES PETITS DE LEURS PETITS!
FIN

COLLECTION
"LES GRANDS CLASSIQUES DE DISNEY EN BD"
PARUS DANS LE CLUB DARGAUD

LA PETITE SIRENE
BLANCHE-NEIGE ET LES SEPT NAINS
LA BELLE ET LA BETE
LE LIVRE DE LA JUNGLE
BAMBI
ALADDIN
LES ARISTOCHATS (PRIX ANGOULÊME 1995)
PINOCCHIO
LE ROI LION
LES 101 DALMATIENS
LA BELLE AU BOIS DORMANT
ROX ET ROUKY
POCAHONTAS : UNE LEGENDE INDIENNE
PETER PAN
LE BOSSU DE NOTRE-DAME
OLIVER ET COMPAGNIE
LA BELLE ET LE CLOCHARD
HERCULE
CENDRILLON
ALICE AU PAYS DES MERVEILLES
LES AVENTURES DE WINNIE L'OURSON
MULAN
LE ROI LION II : L'HONNEUR DE LA TRIBU
1001 PATTES : A BUG'S LIFE
TARZAN
TOY STORY 2
ROBIN DES BOIS
LES AVENTURES DE TIGROU
... ET DE SON AMI WINNIE L'OURSON

HORS COLLECTION

LE RETOUR DE JAFAR
LES PLUS GRANDES COLERES DE DONALD
GARGOYLES, LES ANGES DE LA NUIT
ALADDIN ET LE ROI DES VOLEURS
TIMON ET PUMBAA
DINGO ET MAX
DOUG : LE FILM